Je découvre
la ferme

Titre original de l'ouvrage :
"Mi primera visita a la granja"
© Parramón Ediciones, S.A.
© Bordas, Paris, 1989 pour l'adaptation française
I.S.B.N. 2-04-018196-2
Dépôt légal : Janvier 1989

Imprimé en Espagne par
EMSA, Diputación, 116
08015 Barcelona, en Décembre 1988
Dépôt légal : B-35.492-88
Numéro d'Éditeur : 785

la bibliothèque des tout-petits

J.M. Parramón/G. Sales

Je découvre
la ferme

Bordas

Marie, Pierre et Julien découvrent sur le mur de la classe une affiche avec des animaux : des lapins, des moutons, des canards…

–Demain, nous irons dans une ferme faire connaissance avec tous ces animaux, dit la maîtresse.

La ferme est loin de la ville, isolée,
entourée de bosquets et de prairies.

Des chiens en défendent l'entrée et veillent sur les animaux.

Les chats sont de précieux gardiens; ils pourchassent les souris qui mangent les récoltes.

Dans cette ferme, les chevaux aident encore le fermier en tirant les charrettes.

Dans l'étable, les vaches sont paisibles,
le fermier trait l'une d'elle.

Dans la porcherie, les cochons mangent et grognent sans cesse.

Des veaux et des moutons s'amusent dans le pré.

Regardez comme le chien aide à maintenir le troupeau groupé !

Le gros lapin grignote la carotte, les canards font les fous dans la mare et les pigeons volent autour de leur pigeonnier.

Les coqs et les poules caquètent et picorent sans répit.

Les poules ont pondu.
–Regardez les beaux œufs frais ! dit
Julien.

Comme ils sont beaux et doux ces poussins qui viennent juste de sortir de l'œuf !

Marie, Pierre et Julien voudraient bien les caresser.

Ils ne sont pas prêts d'oublier leur première visite à la ferme !

JE DÉCOUVRE LA FERME

L'animal domestique

En domestiquant l'animal, l'homme a poursuivi plusieurs buts. Tout d'abord, pour se constituer une "réserve vivante" de nourriture, de peaux, de laine, il a tenté de faire vivre des bêtes sauvages dans des enclos. Plus tard, le fumier des animaux lui a servi d'engrais pour ses cultures ; il est parvenu à dresser le bœuf pour tirer charrues et chariots, le cheval pour le monter ou l'atteler à son char de guerre.

L'utilisation des animaux comme bêtes de trait ou de bât est actuellement appelée à disparaître dans les pays industrialisés en raison de la mécanisation des travaux agricoles.

L'homme est aussi entouré d'animaux qui lui tiennent compagnie et jouent un rôle de surveillance.

Ces fonctions de l'animal domestique sont variables selon les régions du monde, elles dépendent en grande partie des us et coutumes. C'est ainsi qu'en Inde l'éléphant est un animal domestique ; comme le yack au Tibet. C'est encore le cas des lamas au Pérou et en Bolivie, des chameaux dans les déserts et des rennes en Laponie.

Les animaux de la ferme

Ils sont élevés principalement pour leur lait, leur viande, leur peau ou leur toison mais de moins en moins pour l'aide qu'ils apportent aux travaux des champs.

Parmi les oiseaux de basse-cour, la poule est élevée pour ses œufs et sa chair, la dinde pour sa viande abondante. L'oie forte et résistante côtoie souvent le canard au bord de la mare de la ferme ; gavés de grain, ils fournissent le foie gras pour les repas de fête.

La vache, la brebis et la chèvre sont trois ruminants ; bien que leur viande soit consommée, c'est surtout pour leur lait qu'elles sont élevées. Celui de la vache est soit stérilisé et vendu en litres, soit transformé en beurre, fromages ou yaourts. Celui des brebis et des chèvres est surtout destiné à fabriquer des fromages.

Avec la viande du porc, on fait du jambon, du lard, des saucisses… ; sa graisse est transformée en saindoux ; on fabrique des colles industrielles avec ses os, des pinceaux, des brosses et des balais avec ses soies.

Le lapin, très prolifique et s'adaptant à tous les climats, est élevé dans toutes les basses-cours pour sa chair délicate.

La reproduction des animaux de la ferme

À l'exception des oiseaux de basse-cour qui couvent l'œuf pour que l'embryon s'y développe, les autres animaux de la ferme sont des mammifères ;

leurs femelles mettent bas des petits vivants qui se sont développés à l'intérieur du corps de la mère et ont reçu par le sang de celle-ci les substances nutritives qui les ont fait vivre.

Le temps de gestation des animaux de la ferme varie d'une espèce à l'autre : la jument a son petit – le poulain – au bout de onze mois de gestation ; il n'en faut que neuf à la vache pour mettre bas le veau, cinq à la brebis pour donner le jour à l'agneau, autant qu'à la chèvre pour le chevreau.

À peine quelques heures après leur naissance, tous les petits sont capables de se mettre debout pour venir téter le lait que sécrètent les mamelles de leur mère.

La ferme traditionnelle

Il existe encore des fermes traditionnelles. Ce sont souvent des exploitations familiales dont les activités sont diverses. Dans les pays développés, le temps où les paysans cultivaient essentiellement de quoi se nourrir est révolu. Les fermes familiales associent aujourd'hui la culture des céréales (blé, maïs), des betteraves, du tournesol, des pommes de terre, à un élevage surtout laitier.

Les animaux de basse-cour sont encore élevés pour la consommation familiale ou la vente des volailles et des œufs sur le marché local ; en revanche, les moutons ne sont plus élevés que dans les régions disposant de grandes étendues pour leur pâture (comme les Causses dans le sud de la France).

Les fermes industrielles

À la différence des fermes traditionnelles, les fermes industrielles se spécialisent soit dans la production à hauts rendements des céréales, des légumes ou des fruits, soit dans l'élevage intensif des volailles, des porcs ou des bovins.

Les fermes avicoles élèvent en batterie plusieurs centaines, voire des milliers de poules pondeuses dont les races ont été obtenues par croisements génétiques. Les œufs, à peine pondus, sont récupérés par un tapis roulant, calibrés, mis en boîte et expédiés pour la vente.

Les étables industrielles sont devenues de véritables "usines à lait". La nourriture de chaque vache laitière, programmée par un ordinateur, constituée de fourrage et d'aliments composés tombe automatiquement dans la mangeoire. Les trayeuses électriques ont remplacé la traite manuelle.

Aux États-Unis, des usines à viande (les *feed lots*) parviennent en trois mois à faire passer de jeunes bœufs de 300 à 450 kilos. Des hauts parleur leur diffusent de la musique douce... qui, paraît-il, leur ouvrirait l'appétit !

Bordas *Jeunesse*

BIBLIOTHÈQUE DES TOUT-PETITS

de 3 à 5 ans

Conçue pour les enfants de 3 à 5 ans, la *Bibliothèque des tout-petits* leur permet de maîtriser des notions fondamentales mais un peu abstraites pour eux : la perception sensorielle, les éléments, le rythme des saisons, les milieux de vie...

Ses diverses séries, constituées en général de 4 titres pouvant chacun être lu de manière autonome, en font une miniencyclopédie dont la qualité graphique, la précision et la fraîcheur de l'illustration sollicitent la sensibilité, l'imagination et l'intelligence du tout-petit.

LES CINQ SENS

L'ouïe
Le toucher
Le goût
L'odorat
La vue

LES QUATRE SAISONS

Le printemps
L'été
L'automne
L'hiver

LES QUATRE ÉLÉMENTS

La terre
L'air
L'eau
Le feu

LES ÂGES DE LA VIE

Les enfants
Les jeunes
Les parents
Les grands-parents

LES QUATRE MOMENTS DU JOUR

Le matin
L'après-midi
Le soir
La nuit

JE VOYAGE

En bateau
En train
En avion
En voiture

UN JOUR À...

La mer
La montagne
La campagne
La ville

RACONTE-MOI...

Le petit arbre
Le petit lapin
Le petit oiseau
Le petit poisson

MON UNIVERS

Voilà ma maison
Voilà ma rue
Voilà mon école
Voilà mon jardin

Pour éclater de lire